劉福春・李怡 主編

民國文學珍稀文獻集成

第一輯

新詩舊集影印叢編　第36冊

【陸志韋卷】

渡河後集

1932年版

陸志韋 著

申酉小唱

1933年版

陸志韋 著

花木蘭文化出版社

國家圖書館出版品預行編目資料

渡河後集／申酉小唱／陸志韋 著 -- 初版 -- 新北市：花木蘭文化出版社，2016〔民105〕

70面／54面；19×26公分

（民國文學珍稀文獻集成・第一輯・新詩舊集影印叢編 第36冊）

ISBN：978-986-404-622-5（套書精裝）

831.8　　105002931

ISBN-978-986-404-622-5

民國文學珍稀文獻集成・第一輯・新詩舊集影印叢編（1-50冊）

第36冊

渡河後集
申酉小唱

著　　者　陸志韋
主　　編　劉福春、李怡
企　　劃　首都師範大學中國詩歌研究中心
　　　　　北京師範大學民國歷史文化與文學研究中心
　　　　　（臺灣）政治大學民國歷史文化與文學研究中心
總 編 輯　杜潔祥
副總編輯　楊嘉樂
編　　輯　許郁翎
出　　版　花木蘭文化出版社
社　　長　高小娟
聯絡地址　235 新北市中和區中安街七二號十三樓
　　　　　電話：02-2923-1455／傳真：02-2923-1452
網　　址　http://www.huamulan.tw 信箱 hml 810518@gmail.com
印　　刷　普羅文化出版廣告事業
初　　版　2016年4月
定　　價　第一輯1-50冊（精裝）新台幣120,000元

渡河後集

陸志韋 著

原書三十六開。影印所用底本無封面和版權頁，據該書序，出版時間應為一九三二年。

渡河之後，快將十年，只有這一點貢獻。那時候還是初出茅廬的小子，一轉眼快近中年了。

十年之內時局劇變。這其間也寫了好些感時即景的詩。既無三閭才華，更愧少陵溫厚。那些淺薄粗狂的作品沒有採入本集。朋友們如果在他處見到，請包涵些。

集中有好幾首在各雜誌上發表過。現在加以修改，有的因爲前此排印錯誤，有的因爲技術的關係。

一九三二年十月志韋誌於粉筆灰飛揚䟦扈之中

新年 （在南京作）

一

老天就可憐我們罷，
一年能得多少平安？
像去年紅利沒有發，
年頭連牌都不看。
再加這幾天下了雨，
關起店門的黑暗，
還不如整天的站着，
撕破了良心來招待。

這是他們在極無聊之中
湊了伙食錢紮的兎兒燈。
自己的夢模範了竹和紙。
明知是未入流的小玩藝，
只是他們的靈魂在此了。
因爲快樂從創造裏得來。
自己的精神灌在創造裏，
自己的名字刻在創造上，
眞料不到他那一天爆發。
打紙包數銅元的神妙手，

紮花燈是破題兒第一遭。
削竹條的半夜不曾睡好，
調漿糊的整剪了一天樣。
還有那藝術隊的落伍者
買蠟條的脚步像有春風。
　兎兒燈，紅眼仁。
彎眉毛，斜嘴唇。
一排排在城南掛着的
沒有你的細毛的半寸。
　因爲紮你的不是爲買你，

紮你的原不想得分文。
他們望新年望得心裏痛。
立春後十天倒有七八雨。
也該輪到他們有些明月。
這元宵節簡直是難分手。
在兎兒燈裏點起蠟條來，
顯出他們銅皮，鐵臉，鉛心，
得了快樂也有些人模樣。

— 4 —

二

元宵節，燈火紅。

橋上人頭滿，家中米櫃空。

暫時莫歎息，歎息也無用。

待過了新年，出門幫短工。

原來活命像開個大私塾，

好好的活潑潑的孩子們

背了書包乃像蝸蜥的慵。

要是平地上有一些起伏，

自好的人還肯做慢蟲麼？

都是要飯吃下的死工夫，
要偷懶豈能沒有個理由？
賽花燈罷，菩薩做生日罷，
大人們捐了館大出喪罷。

你從我手裏奪了我的食，
你死了雇我做一天皂隸。
我在你名下吃得一個飽，
還幸得你生前大括地皮。
一輩子是吃殘的人羹子，
也有今天爲你掌扇掮旗。

— 6 —

如今我赦了你了，再不用
滿口流血的咒詛咒詛你。

新年只太不像大出喪了。
新年裏忘了死就在目前。
新年是刀口上的一個隙，
餓瘦的蝨一鑽就過去了。
一勺的甜不及一樽的苦。
趁沒有混合痛呷他一口。
自從我嚐到了回味，已能
把牛頭山下的生涯闖透。

三

牛頭山下正月初，
鄉下姑娘新簇簇。
粗藍布衫裏破絮
縐製包頭一塊烏。
當裏贖來銀壓髮，
洋式鍍金好看煞。
若比南城新嫂子，
只少一雙紅紗襪。
隔村表妹來相望，

一盞白糖靑果湯。
還到場上鬥天九，
兩錢一付賭私藏。
三歲小兒醬紅臉，
手攀桌脣兩脚蹺。
「姐姐得個至珍寶，
爲你買包冰雪片。」
祖母額頭一縐緊，
罵他貪吃小猴精。
母雞生蛋不休息，

其他一概不長進。
黃貓伏在矮竹櫈，
黃狗尾巴彝短棍，
水牛眼裏琥珀光，
驢子嘴邊豆食盆。
那有一人或一畜
像我們老太太的認眞。
老太太，你眞是老當益壯。
把少年人七上八下的心
用麻繩紮了拋在枯井裏。

—10—

頑健是老年人傳授的道。
長綠的松枝不須眼淚澆。
白眼紅血的人更愁什麼？
元宵夜，給你八小時的睡，
你醒來，爽爽利利，工作罷。

弔某

喫到豌豆最後的幾顆，
　得細細的嚼。
你若不疼這油綠的眞珠，
　可一口嚥了。
流連，流連着下午的沉迷，
　窗外漸漸黑暗。
爲你把綠的蠟條點起，
　席上的光慘淡。

成人

一

去年把水紅帶子移去，
今年更剪到耳朵邊長。
水浪形從火功裏鍊出。
　恭喜大姑娘，
這小貴婦人的新模樣。
黃鸝在去年的眼珠裏囀，
今年只有春的微波蕩漾。
花總得要及時開落。

然而，大姑娘，
瞞不了你這弔古的淒涼。

二

去年你雙手托腰站直，
今年聳着肩膀垂着臂。
又掛上茂腐而痴呆的笑。
可憐的小夥計，
你就在這些時長大的。
去年像野馬漫遊曠野，

—14—

忽而釘上了得得響的馬蹄。
一問口就是兩三個「是」。
聽說小夥計
年前用花轎娶了媳妻。

編籃子的老太婆告辭了

吹括完了「百年好合」的門聯，
還是老佛爺西狩以前之事。
準知道有這敲門不應的一天
最後的柳條籃可只編了半隻。

那一年孩子們開拔到湖北，
他就說，「死罷，待編成了一萬個」。
料想不到就在這三更半夜。
也難怪他交不出一個整數。

—16—

夜態一

由牆來聚樹枝兒的影裏，
羊背上有海裏的月光搖動。
牧杖的搖移如夢。
青布衫如夢。
夜已經臨到這短巷之中。
在蝙蝠的翅膀上來了。
烏鴉爲你喚起寡婦的回想。
蝦蟆的行走爲你先導。

—17—

眞的，
松樹的高枝上你也已經臨到。

夜態二

你是黑松林散威風的瘟疴使。
黑的冷瑟瑟的偉大是你的。
恐龍的鬼從幽暗的地陰裏站起，
高擎着千古艱難的臂。
有誰能使灰色的恐龍跳舞呀，

黑夜，除了你。

夜態三

七尺多長的平底船，
一枝扁担隨意的揮揮。
篙啦，櫓啦，槳啦，舵啦，都是他。
載滿一船滿滿的光輝。
風吹白衣涼如水。
飄飄乎北極的熊獨立在浮游的冰塊。

夜態四

黑夜的簾幕掛在丁香的矮枝上，
垂不着地處長起一叢秋海棠。
星的眼珠左一晃而右一蕩。
蟋蟀的嘈唕像紫檀木魚響。
何不接收了創痛的心肝。
輕狂的夜乃只配受一聲長歎。

—20—

夜態五

橋底下白濛濛的煙騰起。
牛鳴。
石楠樹裡有赭色的臨行默契。
玩膩了的孩子在樹下坐定。
煙囪裡爆出三五點火星，
那是夜信。

夜態六

羊脂白玉的光今天從菊花瓣兒上離別了，

來化做門栓兒上一層薄薄的霜。
茫茫然窮秋的深夜，
把我的青春年少時反掛在楓枝上。
年少時，年少時，
仙人球花開的年少時，
彷彿是昨天的事，
今天像隔了一重紗帳。
收括起殘餘的努力，
好灌輸最後一次的牙唇緊閉。

—22—

怕得在夜貓子的鈴聲鼓聲裡，
夜用蒺藜把葵葉似的希望的棺材釘起。

夜態七

馬利亞從骷髏地回到城內，
天黑了。
殺人的飛跑一時靜起，
疲勞充滿了耶路撒冷的心裡。
「親愛的門徒」在冷笑的獸光中走了。
馬利亞獨自的異鄉的夜。

露水不用從無花果壓倒的枝子上滴下，
蛇不從葡萄藤經過，
約但河的山頂上不吐出魚肚白的明天。
夜哪，千萬年，萬萬年，
把我們化做約但河邊的沙漠。

夜態八

他從明眸皓齒的旁邊站起，
從夥計們倦眼的殷勤中站起。
去投入黑夜的懷抱裡。

長的睫毛淺的笑，
疲勞之後的魂銷，
這些我不要。

但願在黑暗裡握着你的堅强的手。
親愛的，惟有你能饒恕這黑夜的追求。
白天的奮鬥，
一刀一個口。

老而不死

老先生上了些年紀。
看羔羊的跳躍
不再像春風的淘氣。
只是冬天煮羊肉，
塊把來錢的一張皮。
活到了這麼高的高壽，
窮人的女兒
且當是暮年的享受。

—26—

這幾年來的建白，
長烟袋上那幾聲咳嗽。

朋友們，
與其活着做紳士，
咱們還不如早早的死。
情人的頭髮白得像亂麻，
戰士的水壺裡留些渣滓。
抓住了貪欲的尾巴，
還儘說豪華的故事。

冷極了，知了的空殼
緊抱着霜打過後的楊枝。
豈不知道這就是所謂死。

見麻臉姑娘算命，忽然想到六朝造像，倍覺凄凉

盲眼的你應得閉眼臉把過去的榮光遮掩。
萬不該這氣喘喘的抬白眼，望青天。
麻臉的好給給刻薄的孩子們謳歌而喝彩。
可是你枉費心機，補情天，塡恨海。
可怕極了，這些殘缺不全的人的要活。
小寡婦造像一尊，但願亡夫直生佛國。

手藝人的默想

「要是有一天，
我胸膛的左邊像有針刺，
我的手指不再像今天的靈便，
衰老的臨頭有誰得知——」

「透支的年壽
零星的交付了三更燈火。
坐久了的骨頭長了銹。
光做白天又賺不了這許多。」

—30—

「他們長大了，
什麼都得增加了。
老了，慢了，
做不得一半了。」
裁縫的把針籠兒掉了。
機上的梭子顛倒了。
抬起頭來彼此笑
「今天的天氣倒好。」

電線上的燕語

阿姊，阿姊，
老死在楊樹裡。
飛起，飛起，
來跟我站一起
　此地真好看死啦。
有米，有米，
往西去巷子裡。
太低，太低，
樹枝兒遮蔽你，

—82—

那就看不淸楚啦。

有趣，有趣，
陰天又沒有雨。
留意，留意，
小心你的脚底，
就有「嗡嗡」的過啦。

時代的精神（猴年說猴話）

一，

你敲鑼，你打鼓，
老是這一調。
我穿衣，我戴帽，
老是這一套。
卸下來，鎖上去，
老是這一條。
饅頭皮，滿處找，

老是喫不飽。

一天，一天，一天，
儘是這些掛鼻涕的臉。
前年，去年，今年，
這蘇武牧羊我早已玩厭。

如來佛，李公公，
我豈不曾闖進過天宮？
叩頭，鞠躬，鞠躬，

我現今在惡神的掌握之中。

二，

惡神，惡神，我跟你立個約。
這博浪鼕鏜的太麻煩了你。
你交給我老孫這些個東西，
你但歛錢，不用你費手脚。

主人，主人，我跟你打個賭。
他們會摔銅子兒像大雨點。

你的名跟我的會同時傳徧。
是你教成的猴子變變敲鼓。

魔鬼，魔鬼，我對你起個誓。
我連身體和皮毛全都獻給你。
這猴子如果有靈魂那更不用提。
單讓我敲鑼打鼓痛快這一時。

追隨

啊，爲什麼不，爲什麼不
埋藏了純鋼寶劍，
回蠻荒家去，種山喫飯，
管什麼人情世變？

晚風的翅膀上偎着的夢，
恍惚朦朧的一面。
早晨從橋上到市上找尋，
到向晚不曾會見。

—38—

肩膀擦肩膀，笑換笑，
我也來賣柴買麵。
有誰能認識曠野的雄心，
看透這市場的蠢臉？

或者當蝙蝠出來覓食，
這夢境會從新發現。
夢不來時空追求。
啊，對這斜陽有什麼流連！

丁尼生詩：「我是梅令，

我現將死了。

我是梅令，

是追隨光的。」

偶然背誦這幾行，不覺心有所感。

—40—

安南郵票上的貞德像

若有一天去羅安弔國士，
從東方帶給他這一片紙。
牧羊的女兒倘還知羞恥。
瞧你的同胞紀念你的死。

聽野哭想到清明

江南

要哭就哭暮春的哀豔。
杜鵑花塗抹上紙灰的斑點。
「半開的桃花送給誰？
我苦命人戴這開透了的杜鵑。」

江北

土塊的中間飄白紙，
又飄着二月蘭的虛空的紫。

江南沒有這號啕大哭。
哭了也就罷了，人那得不死。

爲某少女題手册

一

○○，你知道尼羅河邊上，
從古以來有很淒涼的故事。
有才女海巴西亞的冷若冰霜，
他死了喂給路上的狗子喫。

那婁里孟可也是個酸臭的和尚。
一出沙漠就跌進女人的圈子。
假若料想到他後來的悵望，

—44—

那女人許就不死在幹那「先知。」

和尙的愛許是不聖潔的沉醉。
你記得尼羅河又有個笪依思。
尼羅河那碧綠的葦子上的水
還比不上這睫毛閃動的西施。

他爲了一個和尙踏進了沙漠，
原想埋藏他懺悔以後的風姿。
那和尙倒會看上了慈悲女佛。

該筲依思挨受這爆發的瘋痴。

二，

青春像一團黑雲的濃而灎。
青春的力在伱的手指上跳盪。

題詩那一天的下午繪他彈旭邪。

沙漠裡，死海上，有聖徒的長臉。
青春的活水跳躍在少女的胸膛。

像我伱也許厭惡白天狡獪。
可等待薄暮移來，可等待黑夜。

當我像你的年紀，我總以爲
黑夜是我的，是我創造的世界。

黑夜爲我停止了松葉的風，
停止了蘆蕿中間蕭蕭的水。
爲我，停止了貪的蛤蟆的起哄，
停止了那些蚯蚓的一縷傷悲。

如今我不忍告訴你黑夜的殘忍。
緊紅的野火，小孩的臉上血痕。

你到了年紀就必得會做「好人。」
且滿滿的喝了你的一盞青春。

—48—

兒子眼裏的光

閃閃的光，明亮的光，
洞庭山橘熟的時候，
我曾把你摘在手裡，
一回頭又跑上了枝頭。
閃閃的光，明亮的光，
小瓦片堆積成堤的河口，
有小小的鰟魚斜着擠，
阻住了魚游，阻不住光游。
閃閃的光，兒子眼裡的光，

有一天在患難的路上
我停止了，有你向前走。

—50—

滄海月明珠有淚

他來每是在皓月當頭，
海水像無數魚鱗顫動。
撒網的漁人在沙灘上撒，
揀蛤蠣的孩子在家做夢，
正夢見巖石下邊的幽黑，
海水帶月光在四圍衝撞。
驚起的白鷗出來環繞。
他來和鮫人在夢裡相逢，
　在孩子們的夢裡相逢。

像曉星趁人的不知覺，
鮫人來時全沒有聲息。
從漆黑的頭髮上瀉下來
水銀一般的玲瓏水滴。
海水的女兒，月光的女兒，
伸出那雕琢完成的臂
來戀誰？戀人麼？人的心思
在遠水上，在高粱地裡，
　甚至于不敢回頭看你。
塵土的兒子原歸于塵土，

如今得見了海水的容光。
別再學無賴的天台遊客，
回頭還是在家鄉胡闖。
家鄉呀，高粱地裡的家鄉，
徒然是秋天一片金黃。
這年頭人比高粱還瘦，
鬼國的巡邏鐵騎倉狂。
鮫人，你聽這鐵騎倉狂。
鮫人于是乎低頭而哭，
哭人又哭他艱難的命運，

和自身在海上深夜凄凉，
料知他此去更無音訊。
「去罷，去罷，可憐的朋友，
爲我在死生的路上逡巡。
這淚珠你帶着記念我罷。
永遠保護着海的風韻，
我許有一天向山野去找尋。」
滿地的高粱沒有人收割。
從戰士的胸前溜到沙土，
黑夜裡抖擻着灰紫的光，

大海的恩施在此地結束。
「鬼火，鬼火，」夜貓這們叫，
小孩在夢裏相應着呼。
鬼火，鬼火，鮫人的眼淚。
鮫人，鮫人，你不如停哭，
　人的命運眞不堪回顧。
「我如何能不想念他呀，
從泥土裏掙扎向上的人情。
眞的瞧見了活人的面目，
他死了怎教我不關心。」

海風，今夜且不須呼嘯、
免惹起巖穴回聲相應。
鮫人在灘上飲聲啜泣，
彷彿是人間亡國的哀音。
荒山枯骨此時寂靜。

柿謠 詩以爲序

黃岩有橘，
溫州有柑。
此外夕陽烘托，深秋孕育，
有柿子低頭在南口，西山。

樹下叠成方塔，
樹上滿枝滿杈。
雅雀不來探望。
冷風搖動金光。

一，

一毛錢一堆不算貴，
城裏每個要三大枚。
南口站帶得一籃快樂回。

二，

妙高台，何等高，
也有北京三件寶。
花生要現炒。

—58—

白璽新上窖。
要說顏色嬌，
就有柿子長得好。

三，

潭柘寺的路上渴得要死，
要是有人勻給你一個軟柿。
炭簍子底下翻出來，
毛藍布擦了遞給你喫。
你喜歡就多給一個子，

好在他也全不在乎此。

四，

門頭溝去打來回。
籐籃麻袋騾駝背。
去時裝的白的灰，
回來馱着黑的煤。
烏金墨玉，天昏地黑乃如此，
煤黑子嘴邊喫殘的一個紅柿子。

時間一去永不回來

（人生俟俟，恐稚多於勞苦，哀而作此、未竟而輟筆。）

我知道有一片蒼莽的大陸，
潮水不在他周圍漲退，
也沒有河流把他割成山谷。
但見有零落張慌的人類

永遠永遠的向西向西。
老公公拽着拐杖氣喘，

寶貝在母親的懷裏悲啼。
分明是世代相傳逃難。

聽說從前在扶桑日出
有地震霹靂撼搖全地。
留剩的人像一羣地鼠，
像風捲杏花殘片往西。
這聲音宛似在風前鳥繞。
西行也就沒有個了結。

— 62 —

祖宗傳下來一個警號，
須張慌才顯得聰明靈俐。
到黃昏才亂糟糟的停止，
爲的是明天加快的跑。
且分些乾糧環坐而喫，
不快樂的晚餐容易喫飽。
煙斗裏一縷嫋嫋的煙。
四弦琴彈出苦苦的調。

美少年貪這一些的戀。
妙人兒報他以微微的笑。

「讓睡夢隨到我心上罷，
我好埋頭在妙人兒胸前。
向前，向前，只是這恐慌罷，
枉企慕長生永壽的神仙。

「啊喲，如果死就是永決，
願眼簾一閉，長夜無晨。

惟獨你胸前有溫和的雪，
神仙的青春左不過煩悶。」
忽然那聲音在夜裏趕到。
像杳遠的火車震搖鐵軌，
荒廟的鐘聲快將停了，
忽又似山外雲外的輕雷。
美少年快挾着四弦琴。
憑你兩條空心的腿骨，

這賽跑賽敗了那聲音，
回頭還可以把衷情申訴。

那來這許多婉轉嬌啼，
生活難道還不够離奇？

霹靂的舌頭快舔到你。
起，起，免得埋沒在荒煙裏。

往西或有到盡頭之日。
脚底的地盤會洶湧飛揚。

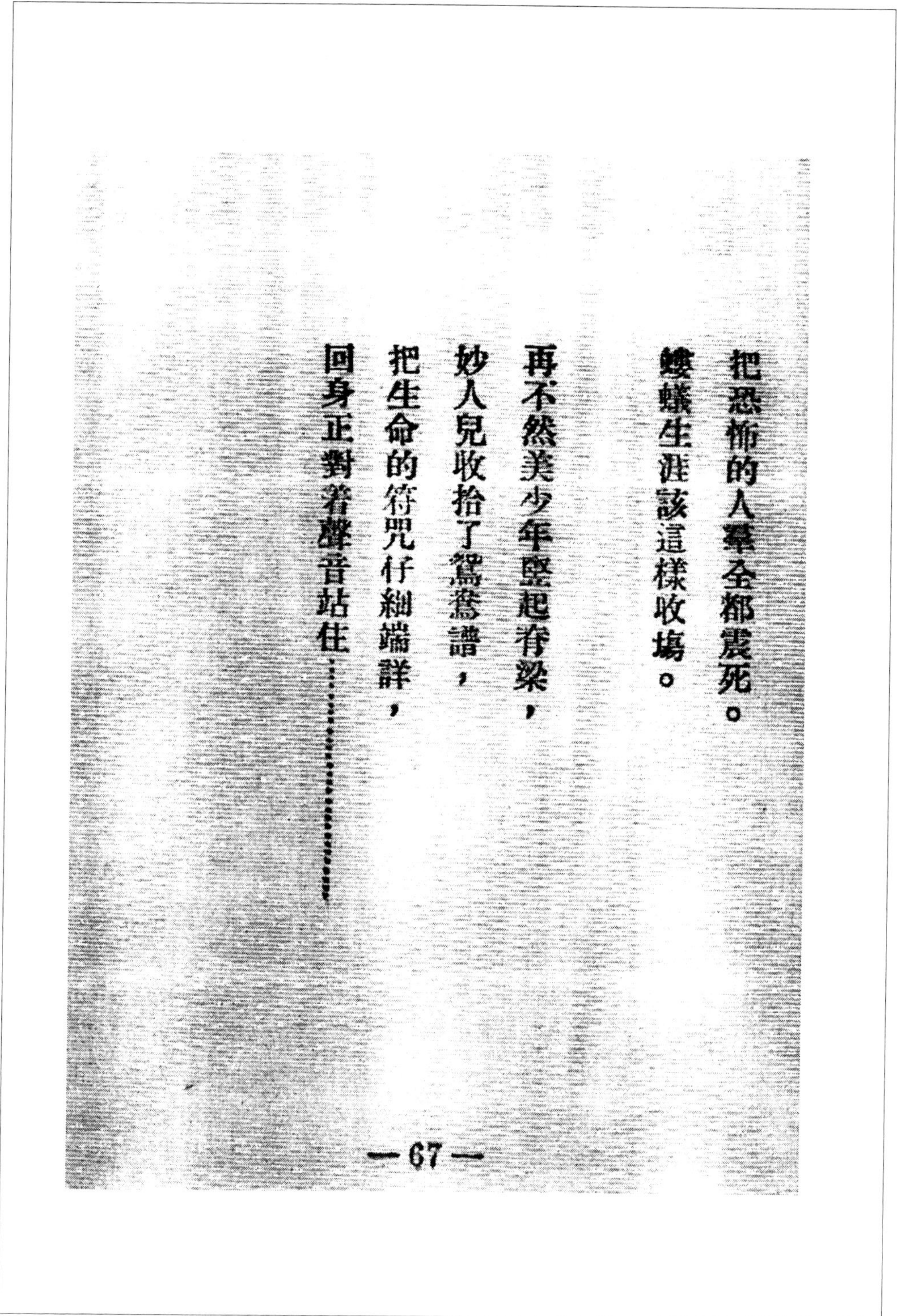

把恐怖的人羣全都震死。
螻蟻生涯該這樣收塲。
再不然美少年竪起脊梁，
妙人兒收拾了鴛鴦譜，
把生命的符咒仔細端詳，
回身正對着聲音站住……

— 67 —

申西小唱

陸志韋 著

原書三十六開。影印所用底本無版權頁，據書前小序，出版時間應為一九三三年。另底本第五〇頁缺字兩行，打字補入。

中國小唱
陸志韋

志章年近四十不知老之將至七月二十二日赴美留學殺雞宰鼠兒戲一年再看下回分解臨行時有請我吃飯者無以爲報印此小詩一冊聊當博士人情其有不請我吃飯者按照世情天理也得辭行

詩從一九三二年九月起一九三三年五月止

妙峯山上人變馬而馬變人

金頂妙峯山在平西八十里上有天津王三奶奶的肉身佛每年陰曆四月初一到初十香火極盛裝馬所以還願

他等不到來生做牛做馬來報告娘親

拴上長耳朵，來見王奶奶，拌演個現世報應

不孝罪孽深重連累娘親這一塲大病

王奶奶愛瞧這人變的馬在尖石塊上爬

爬破了蓋膝骨怪不得你老人家

都是他自己心虛上山來做馬

來個小和尚把他牽進火熱的茶棚

果眞是孝子，還得叫一聲來砌一砌

棒香往爐裡扔，銀錢往王奶奶的櫃裡扔

—2—

扔完錢錢扔馬耳朶，又戴上八樣
喝口小米粥，買枝桃木杖
爲你消災延壽帶福回家了，老糊塗的娘呀

歌成公智瓊 事見搜神記

南方有聲音
白蓮花樣淸
北地有聲音
柿霜和梅冰
成公智瓊不現形

但現清脆的聲音

現形莫須有
「飛燕腰肢樊素口」
一篇濫調令人嘔
高歌莫須有
三日繞梁繞不休
但當親切話故舊
也曾細密黃昏後

嬌貴的女兒也可憐
問寒問暖不好隨心願
眼前錯過好因緣
成公智瓊有妙計
教你把聲調放低
試一試「哥哥我愛你」

茅屋嫁女兒

花轎停在窗前

轎夫歇在樹下
綠腰紅布桌圍
打鼓又吹「搖挪」
張羅忙死爹娘
後院閑着騾馬
大妞嗚嗚的哭
大妞今天出嫁
大妞你別做假
你早就想婆家

— 6 —

連日過護國寺 一九三二

護國寺廟會逢七逢八到九門前冷落矣

十月二十八
豐台來菊花
窮姑子和老馮弁
也擠着論價

十月二十九
雀兒滿地走
殘瓣兒和風起舞

蒼茫像個秋

十九紀念志摩二十某同學結婚

死活就算由天定
活着排場死了紀念
免不了的是人情
被你們捉弄了兩天

猪十二月十日
記得夏斧心這樣說過

見馬想騎

—8—

見狗想到他能守夜
見猪想吃猪肉而已
蠢哉猪也

小松樹 十二月十八

再過幾年我滿身長上鱗甲
還躲在葦子的後面活受罪？
這一丁點兒風雪也值得怕
待我故意地披上些兒翡翠

狗十一月二十日

尾巴捲在後腿中間
好噹噹世態
這叫做失敗
牙齒露到耳朶旁邊
這叫做成功
好顯顯威風

遺老二十一年十二月二十二日

轎夫肩頭軟肉

太監臉上油紋
掛貨舖裡安身

可是見多識博
逢人便說侯門
是爺們使過的人

無用的三一歲

一九三二聖誕
為瑤華寫

小妹妹既是他們不用你伴奏
大可以不必在琴上丁東丁東

別這樣出衆着髆斜托着頭
你這人還說不上有什麼大用

歌者自嘲 一九三二除夕

往昔在神堯皇帝的治下
人們吃得像肥豬胖鴨
你不曾聽過胖鴨歌唱
因爲江米飯塡塞了胸腔

可憐從唐堯讓國以來

—12—

就沒有許多黃金時代
同伴的籃兒上搶吃「葫蘆」
搶着的笑來失掉的哭
巧小的獼猴假裝規距
猴覇的後宮裡侍候美女

因此有人在曠野呼喚
又有人披髮行吟澤畔
有的用鮮花香草做衣
有的搜集些蝗蟲野蜜

儘凍着餓着也必得唱
唱人那半猨半鬼的荒唐
月落三更夜猫子的歌
說你們好苦，好苦，惡果

果然有幾個閒人驚醒
鵝絨的墊子上睡不安定
「咱們是黑夜的先覺先知
待收拾了那些唱歌的小子
世運是已經轉變的了

誰愛那淫靡靡的小調
歌罷，歌你的封建時代
唱罷，唱你的夢中嬌愛
胖鴨來聽，肥猪來樂
這一陣的奴才歌功頌德……
該我們聽的，洪爐張口
鐵輪起轟，汽笛發吼」
靜默太難，跑走也不易
不如往城裡學吹汽笛。

星

一顆星掛頭頂
幾顆星掛在胸襟
滿天星掛在空洞寂寞的心

一顆星像銅鈴
幾顆星打鐘擊磬
滿天星天旋地轉四方相應

落葉

從大地的胸前收吸來的
毫不猶豫的歸還大地
　西風不用熬煎
　東風無須哄騙
他就愛靜靜的一點一滴

看施粥

綠釉的瓦盤裡堆着黃稀粥
熱騰騰霜天燔祭

冷不防又是年底
就這樣古香古色的一年一度？

童年的孤零生活

彷彿有三十年了想到就寫語無倫次

去墳地上揀橡栗
踏着狗貛的脚跡
背後像有人蹇脚走
是喜鵲在自家園地巡遊

—18—

橡栗使取燈兒穿着
一撚一個的轉着
一塊方磚轉四五個
可能加入你們這一夥

右手的轉得緊
左手得費死勁
今天左手戰勝了右手
明天命運又倒了個頭

空廳上畫妖精
爬上桌去放紙鷹
紙鷹打動了樑上的灰
沒落的陽光在神堂徘徊

掛起祖宗的影
供着幾盤糕餅
糕餅快給我偷吃完了
大人還不來跟我計較

蠟台上淚痕斑駁
是我母親的靈座
上面的金字早變成黑字
每天還得念上好幾次

把洋蠟化成清水
清水又凝成方塊
方塊像白糖江米年糕
朋友朋友快些兒來到

天竹子點點的紅
老師筆筒裡清供
老師跟我相對出神
中間老隔着一座城門

書房開着長窗
窗背後好躲藏
我的姊姊也許會來找我
送水的瞧見定然笑我

—22—

水是無窮盡的流
小蝦像八那麼游
洗衣的石板上靠着坐
蠻餘上點起一排燈火

老遠的五孔大橋
是道光什麼年造
橋上的影子漸漸的暗
有的攏着籃有的挑着担

鵜鶘喫過豆腐了
跟主人回家歇宿了
這傻鳥空忙了一整天
連小鰷魚都沒有往下嚥

麻雀不是也可憐
房簷犄角過冬天
米籮裡扣住了又放走
怕你的伙伴爲你担憂

螞蟻遊行排隊
蝗蟲飛過一大堆
黃蜂獨自出來找覓
最好是蜻蜓三五成羣

採些倭瓜的雄花
來餵新買的蟈蟈
瓜籐上濺了一身露水
家裡的太太們還在睡

社戲台前桃花開
爲採桃花過戲台
一隻白頭翁在台角上啼
想到去年社戲的鬍鬚

藤蘿花牆頭開滿
問看門的要了一串
家裡不知有誰愛看的
半路上扔給是窰要飯的

要飯的原先是打警的
住在廟前的小亭裡
柵欄上碰見了弔死鬼
做夜工他厭惰太「劊腎」

古怪的小街上的夜
門縫的線光排列
賣餛飩的挑子爐火逢逢
賣粽子的小紙燈像火蟲

消夜舖裡喫豆漿
「煙鬼」們都上塢
寧願跟你們一齊墮落
這夜深更比白天寂寞

大年夜不斷的燈
我站在門前發怔
人來人往個個是孤獨
當舖裡反是那天忙碌

—28—

櫃檯的高五尺
遞上綢衣首飾
像買米麵一樣給錢
常當的就値得那些留戀

不敢過城隍廟
怕寫的「你也來了」
其實只有黑無常討厭
我倒喜歡判官的笑臉

—29—

香爐裡一片紙灰
穿孝的女人下跪
怨氣消磨了清苦的臉寵
末了一着棋來告陰狀

山羊給神當馬騎
到了早晨他休息
我本是夢裡的白蝴蝶
好跟你另去一個世界

一九三三年一月初旬寫

—30—

二月十五日偶作

白薯的秧子和黑豆
一冬天喂得肥肥的牲口
豺狼一到
這些畜生直抖擻

節奏的素描 一九三三二月

開場　憶江南

來聽江南的人

新說江南的美
江南的節奏如今大半銷沉
好似十月朝的鬼
在灰色的雨天作祟
當我想念他們

江南如今有叫有跳，有夢想顛倒的遊魂
江南那還是青菜白飯的農村
且聽我這回不來家鄉的傀儡
幾句粗詞可惜清涼如水

—32—

若來遠年紹酒一罈
「勸君今夜須沉醉」

節奏第一部搖船

紅蓼花來回搖擺
水鵓鴿的頭一現一隱
光脚船娘慢步往來
船頭的綠水使快剪分開
新油大櫓穿揷回波織錦
一扭一挪的光彩

節奏第二部繞圈兒

繞圈兒的黃牛磨麵粉
繞到陽光裡怒氣成雲
繞圈兒的水牯牛三步整跨一天
岸上的榆鱗倒像飛過一行大雁
繞圈兒的蜻蜓繞着水面的波紋
繞圈兒的羊角風會轉起礱糠稻草的飛輪

節奏第三部農事

—34—

三五顆繭在鍋裡「跳加官」
一大把繭想當年孟德下江南
長長的玲瓏手腕

長長的下午去田裡插秧
一步一彎腰，好幾次低昂
擺籃子的女孩子跟着娘

節奏第四部死了人

送靈須等到四更過後
一陣木魚緊接着清脆歌喉

渦師的尼姑在管佛事
白木棺材也配上一幅紅綢
送喪的喇叭婉轉嘹嚦
有韻的江南的死

結束　哀江南

過去了快要過去了水國的和諧
耕讀漁樵的境界
江南又舶來紙醉金迷
和滿口的新天新地

—36—

也許將來有人重寫水鄉的韻飾
只是我們不能聽見而已

將來的節奏

輪你是王
(二千多年前Aristophanes就這樣說)

輪，你是王
你是何等顯赫，你就是瘋狂
我終有一天會來崇拜你
輪，你是王
一切的動你碾做泥，一切的聲音你磨做漿
我還有什麼呀，我還不來擁戴你？

—37—

開會

麻雀，小老太婆，「枝枝節節」
烏鴉張大了喉嚨呼口號
喜鵲來他一陣拍手叫好
嚇死了麻雀

雪花飛

三月十五又雪因念近儕事關綿被者三則悲憤交縈發爲俚句小雅怨誹不亂竊自勉焉

—38—

雪花飛
雪花飛
關魯赤峯的老百姓
沒有綿被
快到清明
雪花飛
密雲遵化的後防兵
沒有綿被

破爛的北京
雪花飛
小街僻巷鬧營營
搗抓綿被

兵和老百姓告別

淩源人你別恨
要恨但恨湯玉麟
咱們一沒有讎來二沒有恩
總歸是窮人的命

—40—

賣了高粱買麵粉
包餃子來喫烙餅
躺下來會想到你是中國人
咱們永遠是鄉親

早春戲爲俳句

蘆葦剛透尖，槭樹展開茶綠葉，在少婦胸前
輕腰黄壽丹，蝌蚪尾巴三屈曲，各自有波瀾
杏花滿臉愁，小鳥低聲來問候。夢裡過蘇州

五月七日口占

失敗算得什麼呀
成功也只是兒戲
汲深綆短總徒然
眼淚心潮都不濟

地丁花開了沒有
地丁花沒有消息

有力量的盤古氏
劈破洪濛一大斧

蛛絲六斷够可憐
六出祁山眞命苦
棿頭搖尾半殭蟲
拜倫漲裂了蛤蟆肚

少年喫了眼前虧
慣學神甌摑地球
力竭神迷裝假醉
老天該欠你半生的酒
埋藏了銳氣不埋頭

老向文壇——老向官場做俳優

幽幽啾啾的一夥
淒淒慘慘的一堂
裡頭忍痛寂寞的是誰
厄運來有誰用笑臉承當
神農虞夏的子孫
好幾回國破家亡
亡國在你的血統裡

—44—

匈奴鮮卑到滿清
斷肢挖眼括骨穿腸都可救
神醫治不了祖先的病
賣身給魔鬼
但有埋頭努力等着天搭救你的靈

夢長枷

一面長枷五個孔
枷了三人空兩頭
中間的一個歪頭死

沒有死的拉着走
石獅子向人噴火
長枷兩頭着火
死人活人都化爲灰燼
枷也化爲灰燼

竹枝 調笑老婦

老骨頭擱到那裏去呢？

—46—

老太，反正你不死就得啦，
如今你死無葬身之所。竹枝
一絲一忽的，積了十年。
好意思，你還笑話我。老婦
再積十年，一絲一忽的，
短不了太平日子過。竹枝
鋸人棺材的，爲國効死，
該這條老命爲國効活。老婦
大不了，像一盞燈，吹滅了。
老太，你活上幾年再說。竹枝

白鷺和蘆葦

一條路上青天
一條路下大海
一條路通到太湖邊
去找蘆葦叔叔來

上青天怕天風
下黃海怕海水
但看湖上那渺渺濛濛
蘆葦靠着沙灘睡

—48—

沒有可說的翅膀沒有力
軟頸子縮了一個結
縮一腿伸一腳
這孩子也睡着了

陰風

寫給頹廢的人

擠緊
把希望包出來像裹着棉衣
陰風會鑽進豹子的皮

快就凍冰

牽着無形線索
在十字路口飄搖
陰風嗚嗚的叫
敎人站住

粉酸油膩
仙人浮腫而淫
陰風好吹酒醒

—50—

醒了呢

事事凄涼
已比倫的水旁邊隱泣
要是男子漢長鬍角兒的
今夜是悲劇開場

—51—